Tome 1

Texte: Dominique Chauveau

Illustration de la couverture:
Philippe Germain

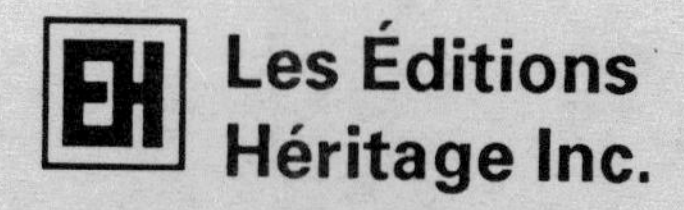

Données de catalogage avant publication (Canada)

Chauveau, Dominique

Histoires drôles
ISBN: 2-7625-6640-1 (v.1)
1.Humour canadien-français - Ouvrages pour la jeunesse. I. Titre.
PN6178.C3C52 1991 JC848'.5402 C91-09365-7

HISTOIRES DRÔLES No 1

Conception graphique de la couverture : Philippe Germain

Photocomposition : Reid-Lacasse

Dépôts légaux: 1er trimestre 1991
Bibliothèque nationale du Québec
Bibliothèque nationale du Canada

ISBN: 2-7625-6640-1 Imprimé au Canada

LES ÉDITIONS HÉRITAGE INC.
300, Arran, Saint-Lambert, Québec J4R 1K5
(514) 875-0327

À Vincent et à tous ceux qui,
comme lui, aiment les blagues
pour les raconter à leurs amis.

Renaud se réveille et se plaint de ne pas aller très bien.

— Où as-tu mal? lui demande sa mère.

— Euh... à l'école, répond-il.

* * *

Quand est-ce qu'un éléphant ressemble à un mignon petit lapin?

Quand il porte son mignon petit costume de lapin.

* * *

À l'école

Le professeur : Marie-Christine, tu es nulle; tu ne sais rien du tout.

Marie-Christine : Et pourquoi croyez-vous qu'on m'envoie à l'école?

* * *

— Quel beau lac pour le poisson.

— C'est certain. Je pêche depuis des heures et aucun ne veut le quitter.

* * *

Deux fous marchent sur une voie ferrée.

Le premier fou : Je redescends, les marches sont trop difficiles à monter.

Le deuxième fou : Tu as raison; je ne comprends pas pourquoi ils ont posé la rampe si basse!

* * *

Un homme est assis sur un banc, au parc.

Un homme s'approche de lui et le gifle.

— Vous êtes fou? lui demande l'homme sur le banc.

— Oui, lui répond le piéton. Ça vous dérange?

* * *

Le professeur : Si je montrais ton devoir à ton père, je me demande ce qu'il dirait.

Anouk : Pas grand chose, c'est lui qui l'a fait en entier.

* * *

Yohan : Maman, on m'a dit qu'on retournait en poussière après la mort, c'est vrai?

— Oui, c'est ce qu'on dit, mon chéri.

Yohan : Eh bien, il y a au moins un mort sous ton lit, maman.

* * *

Le médecin : Alors, ça va mieux depuis que vous prenez le médicament que je vous ai prescrit ?

Le malade : Je ne peux pas savoir, docteur. Sur la bouteille, c'est écrit : *Tenir soigneusement fermé.*

* * *

Qui a inventé les talons hauts?

Une femme qui en avait assez de se faire embrasser sur le front par son petit ami.

* * *

Dieu : Adam, tu es satisfait de ta compagne?

Adam : Oh! oui, Seigneur, mais vous savez, j'ai encore plusieurs côtes.

* * *

Deux cannibales voient passer un avion.

— Qu'est-ce que c'est? demande le premier.

— Je ne sais pas, répond l'autre. C'est comme une huître; c'est difficile à ouvrir, mais à l'intérieur, c'est un vrai festin.

* * *

— Garçon, qu'est-ce que cette mouche fait dans ma soupe?

— On dirait bien qu'elle nage sur le dos, monsieur.

* * *

— Combien as-tu de frères et de soeurs? demande Vincent à son ami.

— Je ne sais pas, répond l'ami, mais j'ai deux mamans de mon premier papa et trois papas de ma première maman.

* * *

Comment faire entrer un éléphant dans une cabine téléphonique?
En ouvrant la porte.

* * *

Le policier, dans un parc d'Outremont :
— Mademoiselle, il est interdit de porter un deux-pièces.
— Très bien, monsieur, répond la jeune fille. Quel morceau dois-je enlever?

* * *

Un adolescent à son copain :
— J'ai fait tous les magasins pour me trouver une casquette et je n'en ai pas trouvé. J'en voulais une avec une visière arrière pour aller à bicyclette!...

* * *

— Qu'est-ce que c'est papa? demande Mathieu.
— Une prune bleue, répond papa.
— Alors pourquoi elle est rouge?
— Parce qu'elle est encore verte, voyons.

* * *

Le père : Pascal, si tu es sage, tu iras au ciel; si tu n'es pas sage, tu iras en enfer.

Pascal : Et si je veux aller au cirque, qu'est-ce que je dois faire?

* * *

La professeure de catéchèse : Pourquoi demandons-nous à Dieu notre pain quotidien?

Lucie : Pour qu'il soit frais, madame.

* * *

Un fou se couche sur les rails.

Son copain lui demande :

— Pourquoi, tu veux voir un train par en dessous?

* * *

— Jusqu'à quand Adam et Ève sont-ils restés au paradis?

— Jusqu'au 15 septembre parce qu'avant, les pommes ne sont pas mûres.

* * *

Comment empêcher un éléphant de passer par le chas d'une aiguille?

En faisant un noeud à sa queue.

* * *

Deux amies, l'une jalouse et l'autre triste, prennent un café.

— Du lait? demande la serveuse.

— Une larme, répond la dame triste.

— Un soupçon, répond la dame jalouse.

* * *

Un homme rencontre un ami qu'il n'a pas vu depuis des mois. Ce dernier travaille depuis peu comme opérateur d'ascenseur.

— Comment est ton nouvel emploi? lui demande-t-il.

— Oh! tu sais, répond son ami, il y a des hauts et des bas.

* * *

— Caroline, qu'est-ce qu'un végétarien? demande la professeure.

— C'est quelqu'un qui ne mange pas les animaux qui peuvent être vus au microscope, répond Caroline.

* * *

Martin écrit à sa grand-mère qui est très âgée.

— Pourquoi écris-tu si lentement? lui demande un de ses amis qui l'observe depuis quelque temps.

— J’écris à ma grand-mère, répond Martin, et elle est incapable de lire vite.

* * *

Pourquoi une femme a-t-elle habillé son bébé en bleu et blanc?

Parce qu’il ne peut pas s’habiller tout seul!

* * *

Pourquoi les éléphants sont-ils de mauvais danseurs?

Parce qu’ils ont deux pieds gauches.

* * *

Un facteur a une peur bleue des chiens. Il parle de ses craintes avec un de ses amis, facteur, lui aussi.

— Mais tu ne dois pas avoir peur des chiens, le rassure son ami, surtout s’ils jappent. Tu connais ce proverbe qui dit : «Chien qui aboie ne mord jamais!»

— Oui, moi je le connais, répond le facteur. Mais les chiens ne le connaissent pas, eux!

* * *

— Je viens de trouver un ver dans ma salade!

— C’est mieux que de n’en avoir trouvé que la

moitié d'un, non?

* * *

— Frédéric, qu'est-ce qu'un dentiste? demande le professeur.

— Un dentiste, répond Frédéric, c'est quelqu'un qui prend les dents des autres pour se mettre quelque chose sous la dent.

* * *

Pascal est persuadé que les chevaux sont plus intelligents que les humains.

— Comment peux-tu croire une telle chose? lui demande Sébastien. Tu sais bien que c'est impossible.

— Alors est-ce que tu as déjà vu un cheval vendre son étable et aller gaspiller son argent à des courses d'humains?

* * *

Un chat rencontre une tortue de mer.

— Bonjour, madame la tortue, dit-il. Comment vont les affaires, aujourd'hui?

— Oh! ça va pas vite, répond la tortue.

* * *

André rentre chez lui après l'école.

— Papa, crie-t-il, j'ai une bonne nouvelle pour toi.

— Ah, oui! Qu'est-ce que c'est? demande son père.

— Tu m'avais promis une bicyclette de 300 $ si je réussissais mes examens, tu t'en souviens? Eh bien, j'ai une excellente nouvelle... tu viens d'économiser 300 $.

* * *

Deux idiots pêchent sur un lac depuis le matin, et ils n'ont toujours rien pris.

— Je suis vraiment découragé, dit Richard. Je me demande ce qui se passe, aucun poisson ne mord.

— On devrait peut-être leur montrer nos permis de pêche, répond Jacques. Ils verraient bien qu'on a le droit de pêcher.

* * *

Nicole fait la file à la caisse du supermarché et marche sur les pieds de l'homme qui est derrière elle.

— Excusez-moi, monsieur, de vous avoir marché sur les pieds, dit-elle.

— Ce n'est pas grave, répond l'homme. Vous savez, je marche dessus tous les jours.

* * *

Marie-Claude qui doit partir en voyage, se confie à son amie.

— Tu sais, lui dit-elle, chaque fois que je dois partir, je me sens mal la veille du départ.

— C'est facile à résoudre, répond son amie. Tu n'as qu'à partir une journée plus tôt.

* * *

Pierre rapporte un livre à la librairie.

— Monsieur, lui dit la libraire, on n'échange pas les livres, sauf s'ils ont un défaut de fabrication.

— Mais celui-ci en a un, insiste Pierre. L'histoire se termine mal!

* * *

Lucie mange une soupe dans un restaurant.

— Mademoiselle, s'écrie-t-elle soudain, il y a une grosse mouche dans ma soupe.

— Juste un instant, madame, répond la serveuse. Je vais vous chercher une fourchette et un couteau.

* * *

— Mathieu, demande le professeur, quelle ville se trouve de l'autre côté du fleuve Saint-Laurent?

— Ça dépend, répond Mathieu.

— Et de quoi? demande le professeur.

— Du côté où vous vous trouvez, répond Mathieu.

* * *

Maman Chatte est fâchée parce que son petit a un rhume.

— Tu as encore mangé des souris grippées? lui demande-t-elle.

* * *

Si tu tues un éléphant blanc avec un fusil blanc, avec quoi vas-tu tuer un éléphant rose?

Non, pas avec un fusil rose. Tu peins l'éléphant en blanc et tu le tues avec le fusil blanc.

* * *

Un jeune missionnaire se rend dans une tribu de cannibales pour essayer de les convertir. Quelques jours plus tard, le chef de la tribu demande qu'on lui envoie un autre missionnaire.

— Celui que vous avez ne vous convient pas? lui demande-t-on.

— Oh, oui! Mais il est presque fini.

* * *

— Garçon, je n'ai qu'un morceau de viande!

— Qu'à cela ne tienne, je vais le couper en deux si ça peut vous faire plaisir.

* * *

Claude veut s'acheter une cravate.

Combien coûte celle-ci? demande-t-il au vendeur.

— Quarante-cinq dollars, répond ce dernier.

— Quoi? s'étonne-t-il. Mais pour le même prix, je pourrais me payer un pantalon.

— Oui, répond le vendeur, mais vous auriez plutôt l'air fou avec un pantalon autour du cou!

* * *

Un monsieur bien mis passe devant deux chiens qui discutent. L'un d'eux aboie.

— Tu le connais? lui demande l'autre.
— Oui, répond le chien. C'est mon vétérinaire.

* * *

— Jacques, demande un professeur de plongée. Quel est le nom du plongeur qui a remporté le championnat de plongée sous-marine ces dernières années?
— C'est mon oncle, répond Jacques.
— Comment ça? demande le professeur.
— Il a plongé il y a sept ans, répond Jacques, et on ne l'a pas encore revu depuis.

* * *

— Attachez vos ceintures, demande l'hôtesse de l'air.
— Ce n'est pas nécessaire, répond le passager, je porte des bretelles.

* * *

Une maman requin et son fils tournent autour d'un paquebot qui vient de faire naufrage.
— Souviens-toi de la loi de la mer, dit Maman Requin à son fils. Les femmes et les enfants d'abord.

* * *

— Mademoiselle, un café sans crème, demande un monsieur dans un restaurant.

— Je suis désolée, monsieur, répond la serveuse, mais on n'a plus de crème. Est-ce que vous prendriez un café sans lait?

* * *

Saturne : Je parie que je vais me marier avant toi.

Vénus : Pourquoi?

Saturne : Parce que j'ai déjà un anneau.

* * *

Un père explique à son fils qui veut devenir riche, que l'argent apporte bien des misères.

— Oui, papa, répond le fils, mais au moins, il aide à affronter la misère qu'il apporte.

* * *

— Un réfrigérateur comme celui-là, explique le vendeur, peut conserver vos aliments pendant des mois.

— Mais alors, demande la dame, qu'est-ce qu'on mange pendant tout ce temps?

* * *

— Comment s'appelle ce beau bébé?
— Ziwayixou.
— Son père est russe?
— Non, opticien.

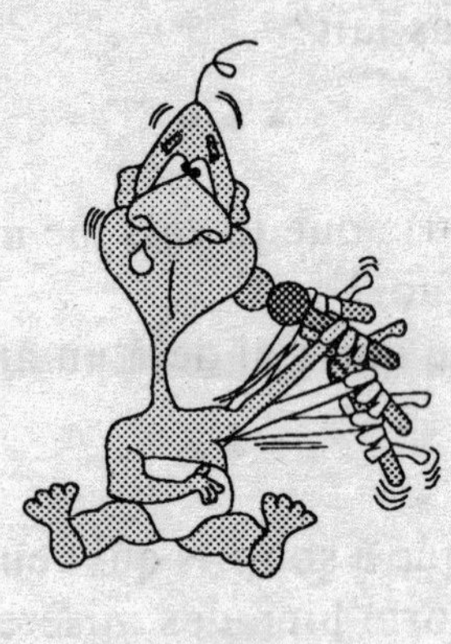

* * *

— Si tu me promets de ne pas fumer avant dix-sept ans, je t'achète un veston de cuir immédiatement.

— Trop tard, papa. Tu aurais dû me prévenir avant.

* * *

Au restaurant, Cécile attend depuis une heure le potage à la tortue qu'elle a commandé.

— Mademoiselle, demande-t-elle avec humeur à

la serveuse, qu'en est-il du potage que je vous ai commandé?

— Je sais que c'est long, répond la serveuse, mais ce n'est tout de même pas ma faute si les tortues sont aussi lentes de nature!

* * *

Qu'est-ce qui est gros, rouge et qui cache son visage dans un coin?

Un éléphant qui est gêné.

* * *

— Hier soir, raconte Jean-Charles, j'ai tué treize mouches avec un tue-mouche : onze femelles et deux mâles.

— Comment as-tu su qu'il s'agissait de mâles ou de femelles?

— C'était très facile. Il y en avait onze sur le miroir de la salle de bains et deux sur l'écran de télévision pendant la partie de hockey.

* * *

— Garçon, il y a une mouche dans ma soupe!

— Vous devrez l'enlever tout seul; je ne sais pas nager.

* * *

Que fait la maman banane pour gâter son bébé banane?

Elle le laisse au soleil trop longtemps.

* * *

Comment sais-tu qu'un éléphant est caché sous ton lit?

Parce que lorsque tu te réveilles, ton nez est écrasé contre le plafond.

* * *

Un garçon est assis au coin d'une rue et il pêche dans un seau d'eau. Une vieille dame passe, le prend en pitié et lui tend une pièce de 5 sous.

— Combien en as-tu attrapé aujourd'hui? lui demande-t-elle gentiment.

— Vous êtes la septième, répond le garçon.

* * *

Le professeur de diététique : Maxime, comment peut-on empêcher les aliments de s'abîmer?

Maxime : En les mangeant, monsieur.

* * *

— Ils ne vont plus faire pousser les bananes.

— Vraiment? Pourquoi?
— Parce qu'elles sont déjà bien assez longues.

* * *

Qu'est-ce qui est jaune et tourne, tourne, tourne?
Une banane dans une machine à laver.

* * *

— Maman, Simon a brisé ma poupée.
— Ah oui! Et comment a-t-il fait?
— Je l'ai frappé sur la tête avec.

* * *

Grand-mère : Récites-tu toujours tes prières, Camille?

Camille : Oh! oui, chaque soir je demande à Dieu de rendre mon petit frère plus gentil, mais il ne l'a pas encore fait.

* * *

— Est-ce que c'est ton frère?
— Oui, monsieur.
— Il est très petit!
— C'est seulement mon demi-frère...

* * *

— Patricia, j'ai demandé à tous les élèves de dessiner une vache qui mange de l'herbe, mais tu as juste dessiné une vache.
— Oui, monsieur, la vache a mangé toute l'herbe.

* * *

— Comment est ta nouvelle guitare?
— Oh! je l'ai jetée.
— Pourquoi?
— Il y avait un trou au milieu.

* * *

Deux puces sortent d'un cinéma et s'aperçoivent qu'il pleut à boire debout.
— Allons-nous rentrer à pied? demande une des puces.
— Non, rentrons en chien.

* * *

Comment faire entrer quatre éléphants dans une *Innocenti*?
Deux devant, deux derrière.

* * *

Un garçon est surpris dans un pommier à voler des pommes.

— Descends à l'instant! s'écrie le propriétaire furieux, sinon, je préviens ton père.

— Vous pouvez le faire maintenant, répond le garçon, il est juste au-dessus de moi.

* * *

— As-tu déjà vu quelqu'un manger un tigre?

— Non, mais dans un restaurant près de chez moi, j'ai vu quelqu'un manger un poulet.

* * *

— Viens, Charles, je t'amène au zoo.

— Si le zoo veut m'avoir, laisse-le venir me chercher!

* * *

— Je n'ai pas dormi depuis des jours.

— Pourquoi?

— Je dors la nuit.

* * *

Qu'est-ce qu'un chien-saucisse?

Un hot-dog sans pain.

* * *

— Où penses-tu aller comme ça?
— Au cinéma.
— Quoi? Avec la figure toute sale!
— Non, avec Mathieu, mon copain.

* * *

— Garçon, qu'est-ce que cette mouche fait dans mon vin?
— Vous avez demandé quelque chose qui ait du corps.

* * *

— Quel est ton nom, mon garçon?
— Bernard.
— On dit monsieur.
— D'accord. Monsieur Bernard.

* * *

— Si un avion s'écrase à la frontière entre l'Angleterre et la Nouvelle-Écosse, où seront transportés les survivants?
— Nulle part; il n'y aura pas de survivants.

* * *

Marc, c'est l'heure de ton médicament.

— J'ai fait couler le bain.

— Pourquoi?

— Sur la bouteille, il est écrit : *Doit être pris dans l'eau.*

* * *

— Maman, à l'école, tout le monde m'appelle grosse tête!

— Mais non tu n'as pas une grosse tête, mon chéri. Veux-tu aller à l'épicerie et me rapporter 10 kilos de pommes de terre dans ton chapeau?

* * *

— Mon chien n'a pas de nez.
— Pauvre animal! Comment sent-il?
— Terriblement mauvais!

* * *

— Je te le dis, c'est parti pour toujours! Ça ne reviendra jamais!
— Quoi donc?
— Hier.

* * *

Que feras-tu si un éléphant s'assoit devant toi au cinéma?
Tu manqueras presque tout le film.

* * *

— Étais-tu dans l'Arche de Noé, grand-père?
— Non, Laurent, je n'y étais pas.
— Alors, pourquoi n'as-tu pas été noyé, toi aussi?

* * *

— Papa, qu'est-ce qui a un corps rayé jaune et

vert, six pattes velues et de gros yeux sur des antennes?

— Je ne sais pas, pourquoi?

— Une de ces choses vient juste de grimper sur la jambe de ton pantalon!

* * *

— Frédéric, si la Terre est ronde, pourquoi est-ce que nous ne tombons pas?

— À cause de la loi de la gravité, monsieur.

— Exact.

— Mais monsieur, qu'arrivait-il avant que la loi soit passée?

* * *

— Mon chat a gagné le premier prix dans un concours de beauté pour oiseaux.

— Dans un concours pour oiseaux? Comment cela se fait-il?

— Il a avalé le canari qui avait gagné le premier prix...

* * *

Qu'est-ce que tu attrapes si tu composes 49785507291694332789 4578?

Une ampoule au doigt.

* * *

Qu'est-ce qu'un musulman dit à un autre musulman?

Je n'arrive pas à me souvenir de votre nom, mais votre fez m'est familier.

* * *

Qu'est-ce qui est jaune à l'intérieur et vert à l'extérieur?

Une banane déguisée en concombre.

* * *

Un homme dont le fils vient juste d'avoir son permis de conduire rentre chez lui, un soir, et trouve sa voiture dans le salon.

— Veux-tu bien me dire comment tu as fait?

— C'était très simple, papa. Je suis entré par la cuisine et j'ai tourné à gauche!

* * *

— Comment allez-vous maintenant, madame Fournier? demande le médecin.

— Bien docteur, répond la patiente. Vous savez, vous m'avez conseillé de boire un grand verre de jus d'orange chaque soir, après un bain chaud...

— Oui?

— J'ai bu le jus d'orange sans problème, mais je

n'ai pas encore réussi à boire toute l'eau du bain.

* * *

— Garçon, il y a une mouche dans ma soupe!
— Lancez-lui un beignet, ça lui fera une excellente bouée de sauvetage.

* * *

Que fait un éléphant quand il pleut?
Il se fait mouiller.

* * *

— Puis-je essayer ce costume, dans la vitrine?
— Non, monsieur! Vous devrez utiliser la salle d'essayage comme tous les autres.

* * *

— Ça ne vous dérange pas si je fume ce cigare?
— Non, si ça ne vous dérange pas que je sois malade.

* * *

Comment les vampires traversent-ils la mer?
Dans les vaisseaux sanguins.

* * *

Quelle est la meilleure chose à faire si un monstre

entre chez vous par la porte d'en avant?
Sortir en courant par la porte d'en arrière.

* * *

Où Dracula garde-t-il son argent?
Dans une banque de sang.

* * *

Quel bain peux-tu prendre sans eau?
Un bain de soleil.

* * *

Oups, tu le vois... oups, tu ne le vois plus... qu'est-ce que c'est?

Un chat noir marchant sur le dos d'un zèbre.

* * *

— Cette miche de pain est merveilleuse et toute chaude.
— Ça ne m'étonne pas, madame, le chat s'est couché dessus toute la matinée.

* * *

Qu'est-ce qu'un jeune porc-épic dit à un cactus?
— Est-ce que c'est toi, papa?

* * *

Bonne nouvelle! J'ai reçu un poisson rouge pour mon anniversaire. Mauvaise nouvelle! Je n'aurai pas le bocal avant mon prochain anniversaire!

* * *

— Pourquoi n'arrêtes-tu pas de sauter?
— Je viens de prendre mon médicament et j'ai oublié de secouer la bouteille avant.

* * *

— Jean, dans quelle bataille fut tué Lord Nelson?
— Dans sa dernière bataille, monsieur.

* * *

— Alain, est-ce que ta soeur t'a aidé à faire ce devoir?

— Non, madame, elle l'a fait toute seule.

* * *

— Garçon, vous m'avez apporté la mauvaise commande!

— Vous m'aviez pourtant dit que vous vouliez quelque chose de différent.

* * *

Qu'est-ce qu'une sardine dit à une autre sardine?

— Tasse-toi, tu m'écrases!

* * *

Combien de mois dans l'année ont 28 jours?

Tous les mois.

* * *

Quand les éléphants se mettent-ils du vernis à ongles rouge?

Quand ils veulent se cacher dans un pot de confiture.

* * *

As-tu entendu parler de l'idiot qui a eu une trans-

plantation de cerveau?
Le cerveau l'a rejeté.

* * *

— Pourquoi nages-tu toujours sur le dos?
— Je viens de manger et je ne veux pas nager sur un estomac plein.

* * *

Qu'est-ce qu'une oreille dit à une autre oreille?
— Entre nous, on a besoin d'une bonne coupe de cheveux.

* * *

— Philippe, qu'est-ce que ça veut dire quand le baromètre chute?
— Euh... que le clou est tombé, mademoiselle.

* * *

— Cette allumette ne s'allume pas.
— C'est drôle, elle s'est allumée ce matin.

* * *

Qu'est-il arrivé à l'homme qui rêvait d'avoir mangé une guimauve géante?

Quand il s'est réveillé, son oreiller avait disparu.

* * *

— Veux-tu jouer avec notre nouveau chien?
— Il me semble plutôt féroce, non?
— C'est justement ce que je veux vérifier...

* * *

— Aimes-tu ta nouvelle école? demande fièrement grand-mère à Luc.
— Bien, des fois, oui.
— Et quand sont ces fois?
— Quand elle est fermée.

* * *

— Je peux dire l'heure qu'il est en regardant le soleil, n'importe quand, pendant l'année.
— Vraiment? Moi, je peux dire l'heure à n'importe quel moment de la nuit.
— Et comment fais-tu?
— Je me lève et je regarde l'horloge.

* * *

— J'ai plus de 5 000 disques!
— Plus de 5 000! Tu dois vraiment aimer la

musique!

— Oh! je ne les fais pas jouer, je collectionne les trous au milieu.

* * *

— Quel est le nom de ton nouveau chien?

— Je ne le sais pas, il ne veut pas me le dire.

* * *

— Docteur, je ne peux m'empêcher de dire des mensonges!

— Je ne te crois pas...

* * *

Qu'est-ce que Dieu prend avec son thé?

Un gâteau des anges.

* * *

— Qu'est-il arrivé à toutes mes tartes? Je t'ai dit que tu ne pouvais pas en prendre une et il n'en reste qu'une!

— C'est celle que je n'ai pas prise, maman.

* * *

Pourquoi les éléphants ont-ils les yeux rouges?

Pour mieux se cacher dans un champ de fraises.

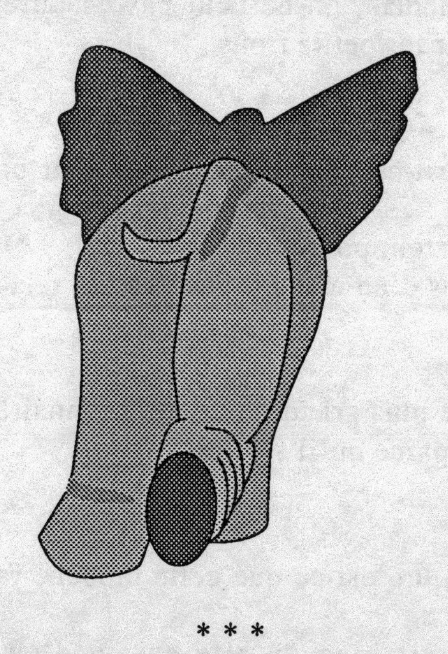

* * *

— Pourquoi pleures-tu, Arnaud?
— Mon frère a perdu sa montre.
— Mais pourquoi cela te fait-il pleurer?
— C'est moi qui la portais quand il l'a perdue.

* * *

— Christine, ça t'en prend du temps pour remplir

la salière.
— Mais maman, on ne peut pas en faire passer beaucoup par les petits trous.

* * *

— Papa, est-ce que les chenilles sont bonnes à manger?
— Non, fiston, pourquoi?
— Tu viens d'en manger une avec ta salade.

* * *

Quel est le plus grand mot du dictionnaire?
Élastique parce qu'il s'étire.

* * *

— Garçon, qu'est-ce que cette mouche fait dans ma soupe?
— On dirait bien qu'elle essaie d'en sortir, monsieur.

* * *

Qu'est-ce qui court autour du jardin sans bouger?
La clôture.

* * *

Pourquoi King Kong a-t-il escaladé l'Empire State Building?

Pour prendre un avion.

* * *

— Qu'est-ce que tu as eu à ta fête?

— Un an de plus.

* * *

Quand est-ce de la malchance d'être poursuivi par un chat noir?

Quand tu es une souris.

* * *

— Et j'ai bien peur que ce soit un au revoir, mon Dieu, dit la petite fille en terminant sa prière. Demain, on déménage!

* * *

Quel est l'animal qui a la plus haute intelligence?

La girafe.

* * *

Pourquoi ne peux-tu pas mettre un éléphant dans un sandwich?

Parce qu'il est beaucoup trop lourd à soulever.

* * *

Qu'est-ce qui a une fourrure, 2 000 yeux et mange des carottes?

Mille lapins.

* * *

— Martine, pourquoi es-tu encore en retard?

— Désolée, monsieur. J'étais à l'heure, mais j'ai vu une pancarte dans la rue qui disait d'aller lentement. C'est ce que j'ai fait.

* * *

— Yvan, tu aurais dû être en classe à 9 heures.

— Pourquoi? J'ai manqué quelque chose d'intéressant?

* * *

Qu'est-ce qui a robe par-dessus robe, robe par-dessus robe, sans points ni coutures?

Un oignon.

* * *

— As-tu fait du ski nautique pendant tes vacances?

— Non, je n'ai pas pu trouver de lac avec une pente.

* * *

Pourquoi les oiseaux volent-ils vers le sud en hiver?

Parce que c'est trop loin pour qu'ils marchent.

* * *

Qu'est-ce qu'un aimant fille dit à un aimant garçon?

— Je te trouve très attirant.

* * *

— Julie, le docteur a dit que tu devais prendre une de ces pilules trois fois par jour.

— Comment faut-il que je fasse pour la prendre plus d'une fois?

* * *

Pourquoi les fantômes se font-ils souvent arrêter?
Parce qu'ils n'ont pas de permis de chasse.

* * *

Pourquoi cet homme a-t-il jeté sa montre par la fenêtre?
Pour voir le temps voler.

* * *

— Ma perruche pond des oeufs carrés.
— C'est étrange! Et elle sait parler?
— Oui, elle connaît un seul mot.
— Lequel?
— Ouch!

* * *

Ce n’est pas fini! Suis-moi pour d’autres histoires comiques...

Comment faire un sandwich d'éléphant?
Il faut déjà réussir à trouver une miche de pain assez grosse...

* * *

Quel chien n'a pas de queue?
Un hot-dog.

* * *

Qu'est-ce qui est blanc et qui remonte?
Un flocon de neige idiot.

* * *

— Garçon, il y a une coquerelle dans ma soupe!
— C'est bizarre, ce sont habituellement des mouches que l'on trouve.

* * *

Qu'est-ce que la grande cheminée dit à la petite cheminée?
Tu es trop jeune pour fumer.

* * *

Comment empêcher un chien d'aboyer sur le siège arrière d'une automobile?
En le mettant sur le siège avant.

* * *

Que devrais-tu faire pour un cannibale affamé?
Lui tendre la main.

* * *

Quel est le meilleur moment pour aller au lit?
Quand le lit ne veut pas venir à toi.

* * *

— As-tu entendu la blague sur le plafond?
— Il est bien haut au-dessus de ta tête.

* * *

Qu'est-ce qui est brun, a quatre pattes, deux bosses et se trouve en Alaska?

Un chameau perdu.

* * *

Qu'est-ce qu'un mur dit à un autre mur?

On se rencontre au coin.

* * *

On a eu un mime de la ferme intéressant, la semaine dernière au club.

— Qu'avait-il de si intéressant?

— Le mime n'imitait pas les bruits; il imitait les odeurs.

* * *

Pourquoi les sorcières volent-elles sur un balai?

Parce que les aspirateurs n'ont pas de fil assez long.

* * *

Pourquoi le squelette ne pouvait-il pas aller au bal?

Parce qu'il n'avait personne pour l'accompagner.

* * *

Pourquoi les doigts d'un monstre ne mesurent-ils jamais plus de 28 cm?

Parce que, s'ils en mesuraient 30, ce serait des pieds.

* * *

— Aux Indes, j'avais l'habitude de chasser des éléphants sauvages à dos de cheval.

— Tiens, je n'ai jamais entendu dire que les éléphants pouvaient monter à cheval...

* * *

Pourquoi les fantômes sont-ils de mauvais menteurs?

Parce que l'on peut toujours voir à travers eux.

* * *

Quel est le meilleur moyen d'élever un éléphant?
Le mettre sur un chariot élévateur.

* * *

— Nicole, nomme deux pronoms.
— Qui, moi?
— Très bien.

* * *

— Olivier, s'il te plaît, sors le chien pour lui donner un peu d'air.
— D'accord, papa. Quelle est la station-service la plus proche?

* * *

— Je suis heureux de ne pas être né aux États-Unis.
— Pourquoi?
— Je ne sais pas parler anglais.

* * *

Nous savons tous qu'une religieuse qui tombe en

bas d'une colline est noir et blanc, noir et blanc... mais qu'est-ce qui est noir et blanc et fait hi-hi-hi?

La religieuse qui l'a poussée.

* * *

Si ton horloge sonne treize heures, qu'est-ce que ça signifie?

Que c'est le temps de t'en acheter une neuve.

* * *

— Docteur, tout le monde m'ignore!

— Au suivant, s'il vous plaît, dit le docteur.

* * *

— Maman, je peux jouer du piano?

— Non, pas avant de t'être lavé les mains.

— Mais maman, je vais seulement jouer sur les touches noires.

* * *

— Eh, tu n'as pas le droit de pêcher ici!

— Je ne pêche pas, je donne un bain à mon ver de terre.

* * *

—J'espère que cet avion ne va pas plus vite que le mur du son, dit Julien.

—Pourquoi?

—Parce que mon ami et moi voulons discuter.

* * *

— Garçon, votre cravate est dans ma soupe!

— Ne vous en faites pas, elle ne rétrécit pas au lavage.

* * *

— Simon, si j'avais huit pommes dans ma main droite et sept dans ma main gauche, qu'est-ce que j'aurais?

— Des mains immenses, monsieur.

* * *

Quelle planète est la plus légère, le Soleil ou la Terre?

Le Soleil; il se lève tous les matins.

* * *

Comment sais-tu si un éléphant est passé dans ton réfrigérateur?

À cause des traces qu'il laisse dans le beurre.

* * *

Où les fantômes aiment-ils nager?

Dans la mer Morte.

* * *

— Quelles lettres ne sont pas dans l'alphabet?

— Celles qui sont dans la boîte aux lettres.

Qu'est-ce que tu peux mettre dans ta main droite mais pas dans ta main gauche?

Ton coude gauche.

* * *

Qu'est-ce que tu peux toucher, voir, mais que tu ne peux tenir?

Une ombre.

* * *

Qu'est-ce qui tourne sans bouger?

Le lait quand il surit.

* * *

Pourquoi Claude a-t-il enterré la batterie de sa voiture?

Parce que le mécanicien lui a dit qu'elle était morte.

* * *

Connais-tu l'histoire du verre vide?

Non? Il n'y a rien dedans.

* * *

Marc : J'aimerais que l'on naisse sans dents.

Le dentiste : Habituellement, c'est ce qui arrive.

* * *

Pourquoi la girafe a-t-elle un grand cou?
Parce qu'elle ne peut supporter l'odeur de ses pieds.

* * *

Pourquoi une autruche a-t-elle un si long cou?
Parce que sa tête est beaucoup trop loin de son corps.

* * *

Sais-tu ce que les Zoulous font avec les peaux de banane?
Ils les jettent, bien sûr...

* * *

Pourquoi transporte-t-on des parapluies?
Parce qu'ils ne peuvent pas marcher.

* * *

Pourquoi les éléphants ont-ils une trompe?
Parce qu'ils auraient l'air idiot s'ils avaient une valise à la place.

* * *

Si un homme est né en Australie, a travaillé en Amérique et est mort en Europe, qu'est-ce qu'il est?
Mort.

* * *

Qu'est-ce qui est poilu et qui tousse?
Une noix de coco grippée.

* * *

Qui a les plus grosses bottes dans l'armée américaine?
Le soldat qui a les plus grands pieds.

* * *

— Dis-moi, petit, qu'est-ce que tu vas offrir à ta soeur pour Noël?
— Eh bien... l'an dernier, je lui ai donné la rougeole...

* * *

— As-tu entendu parler du cannibale qui suivait un régime?
— Non.
— Maintenant, il ne mange que des Pygmées.

* * *

Que devient un veau après un an?
Un veau de deux ans.

* * *

Qu'est-ce qu'un monstre mange après une extraction dentaire?
Le dentiste.

* * *

Quand dois-tu nourrir un bébé au lait de tigre?
Quand c'est un bébé tigre.

* * *

— Mademoiselle, votre pouce est dans ma soupe!
— Ça ne fait rien, monsieur, ce n'est pas chaud.

* * *

Comment traire une souris?
Impossible; le seau ne peut pas se glisser en dessous.

* * *

Qu'est-ce qui est noir et blanc et qui rebondit?
Un pingouin sur une échasse sauteuse.

* * *

Quand un cheval a-t-il six pattes?
Quand il a quelqu'un sur son dos.

* * *

Qu'est-ce qui ressemble à la moitié d'une miche de pain?
L'autre moitié.

* * *

Qu'est-ce que les éléphants ont et que nul autre animal a?
Des éléphanteaux.

* * *

— As-tu entendu la blague sur le beurre?
— Non.
— Je préfère ne pas te la dire, tu pourrais l'étaler autour de toi.

* * *

— Pourquoi ris-tu?
— Mon dentiste vient juste de m'arracher une dent.
— Je ne trouve rien de drôle à ça!
— C'était la mauvaise dent.

* * *

Nomme neuf animaux d'Afrique.
Huit éléphants et une girafe.

* * *

— Non, Vincent, tu ne peux jouer avec le marteau, tu vas te cogner sur les doigts.
— Non papa. Jérôme va tenir les clous pour moi.

* * *

Si tu échappes un chapeau blanc dans la mer Rouge, comment en ressort-il?
Mouillé.

* * *

Nomme quatre animaux de la famille des chats.
Papa Chat, Maman Chat et deux chatons.

* * *

— Christian, pourquoi es-tu en retard ce matin?
— Je me suis marié hier, monsieur.
— Très bien, mais vois à ce que ça ne se reproduise plus.

* * *

— Quel âge a ton grand-père?

— Je ne sais pas, mais ça fait longtemps qu'on l'a.

* * *

Pourquoi l'homme chauve a-t-il regardé par la fenêtre?

Pour prendre un peu d'air frais.

* * *

— Vincent, pourquoi as-tu une saucisse derrière ton oreille?

— Oh, non! alors j'ai dû manger mon crayon pour dîner!

* * *

Malgré les avertissements de son grand frère, Olivier insiste pour marcher en équilibre sur un mur élevé.

— Eh bien! lui dit son frère, si tu tombes et si tu te casses les deux jambes, ne me cours pas après.

* * *

Quel est le meilleur moyen d'attraper un lapin?

Se cacher derrière un bosquet et imiter le bruit d'une carotte.

* * *

Papa, je n'aime pas le fromage avec des trous.
— Alors ne mange pas les trous; laisse-les sur le bord de ton assiette.

* * *

— As-tu attrapé ce gros poisson tout seul?
— Non, j'avais un petit ver de terre pour m'aider.

* * *

Pourquoi les éléphants ont-ils des espadrilles roses?
Parce qu'ils font tous partie de la même équipe.

* * *

Pourquoi les éléphants sont-ils toujours couchés sur le dos?
Pour ne pas salir leurs espadrilles roses.

* * *

Qu'est-ce qui est blanc et noir et a huit roues?
Une religieuse en patins à roulettes.

* * *

Qu'est-ce qui est long, porte un chapeau brun et dort dans une boîte?
Une allumette.

* * *

— Servez-vous des crabes?
— Assoyez-vous, monsieur. Nous servons tout le monde.

* * *

Un baril de bière est tombé sur un employé. Celui-ci n'a pas été blessé. Pourquoi?
Le baril était rempli de bière légère.

* * *

Quelle est la meilleure façon de couvrir un coussin?
S'asseoir dessus.

* * *

Connais-tu la blague du mur?

Tu ne passeras jamais par-dessus.

* * *

— J'ai vu sept hommes sous un même parapluie et aucun d'eux n'était mouillé.
— Ce devait être un grand parapluie!
— Non, il ne pleuvait pas.

* * *

Que font les avares quand il fait froid?
Ils s'assoient autour d'une chandelle.

* * *

Que font les avares quand il fait très très froid?
Ils allument la chandelle.

* * *

Que peux-tu faire qui ne se voie pas?
Du bruit.

* * *

— Pourquoi fermes-tu les yeux en te regardant dans le miroir?
— Je veux voir à quoi je ressemble quand je dors.

* * *

— Donc, tu es un parent lointain des gens qui demeurent au coin de la rue?

— Oui. Leur chien est le frère de notre chien.

* * *

Comment les éléphants font-ils pour grimper dans un arbre?

Ils se mettent sur une graine et ils attendent que l'arbre pousse.

* * *

— Catherine as-tu terminé ta soupe aux alphabets?

— Pas encore, maman. Je suis rendue à la lettre k...

* * *

— Combien de poissons as-tu attrapés aujourd'hui?

— Quand j'en aurai un autre, ça m'en fera un.

* * *

Quelle différence y a-t-il entre un éléphant et une puce?

Un éléphant peut avoir des puces, mais une puce ne peut pas avoir d'éléphants.

* * *

Qu'est-ce que tu ne peux pas faire si tu mets 250 melons dans le réfrigérateur?

Fermer la porte.

* * *

Qu'est-ce que tu enlèves en dernier quand tu te couches?

Tes pieds du plancher.

* * *

Quelle sorte d'alarme ne s'arrête jamais?

Une fausse alarme.

* * *

Qu'arrivera-t-il si tu avales un réveille-matin?

Le temps passera très lentement.

* * *

— Maman, maman, je peux avoir un verre d'eau?

— Tu en as déjà eu dix!

— Je le sais, mais ma chambre est en feu!

* * *

— Il y avait deux gâteaux dans l'armoire, fiston, et il n'y en reste qu'un. Comment expliques-tu cela?

— Je n'avais pas ouvert la lumière, c'est pour ça que je n'ai pas vu l'autre.

* * *

La professeure : Un vaisseau spatial peut faire tout ce que fait un oiseau et plus!

L'étudiant : Vraiment? J'aimerais en voir un pondre un oeuf!

* * *

Le policier : Nous recherchons un homme avec une prothèse auditive.

Le suspect : Ce ne serait pas plus facile avec une paire de lunettes?

* * *

Pourquoi l'astronome s'est-il cogné sur la tête cet après-midi?

Il voulait voir les étoiles de jour pour faire changement.

* * *

Je cherche un homme avec un oeil, nommé Martin.
— Et comment s'appelle son autre oeil?

* * *

Qui était le premier homme de l'espace?
L'homme dans la lune.

* * *

Qu'est-ce que ça fait un éléphant dans un arbre?
Un éléphant de moins sur la terre.

* * *

Qu'est-ce que ça fait deux éléphants dans un arbre?
Un arbre de moins sur la terre.

* * *

— Mademoiselle, il y a un oiseau dans ma soupe.
— C'est normal, monsieur. C'est une soupe au nid d'hirondelle.

* * *

— Garçon! Mon poulet n'a qu'une cuisse!
— Il s'est peut-être battu, monsieur!
— Dans ce cas, amenez-moi le gagnant.

* * *

Quelle est la différence entre le pôle Nord et le pôle Sud?
Le monde entier.

* * *

Nourris-moi et je vivrai. Donne-moi à boire et je mourrai. Qui suis-je?
Le feu.

* * *

Un scientifique rentre chez lui, épuisé.
— Tu as eu une journée difficile, aujourd'hui? lui demande sa femme.
— Oui, répond-il. Mon ordinateur est tombé en panne! J'ai dû penser.

* * *

Pourquoi Newton a-t-il été surpris lorsqu'une pomme lui est tombée sur la tête?
Parce qu'il était assis sous un poirier.

* * *

Comment peux-tu faire un feu avec juste un petit bâton?
Assure-toi que ce petit bâton est une allumette.

* * *

Pourquoi les chirurgiens portent-ils des masques?
S'ils font une erreur, personne ne saura qui l'a faite!

* * *

Pourquoi les astronautes n'ont pas pu atterrir sur la Lune?
Parce qu'elle était pleine.

* * *

Le professeur : Qu'est-ce que tous les scientifiques du XVIIe siècle ont en commun?
L'étudiant : Ils sont tous morts.

* * *

Le journaliste : Depuis quand courez-vous?
Le sportif : Depuis que j'ai huit ans.
Le journaliste : Oh! vous devez être fatigué!

* * *

Comment les éléphants font-ils pour descendre des arbres?
Ils se posent sur une feuille et ils attendent l'automne.

* * *

— Docteur, est-ce que je pourrai jouer au soccer quand je n'aurai plus de plâtre?
— Bien entendu, mon garçon.
— Oh, merci, parce que je ne pouvais pas jouer avant!

* * *

— Est-ce que ton chien a des puces?
— Ne sois pas idiot. Les chiens n'ont pas de puces; ils ont des chiots.

* * *

— J'ai entendu une nouvelle blague, l'autre jour. Je me demande si je te l'ai racontée.
— Est-elle drôle?
— Oui.
— Alors tu ne me l'as pas racontée.

* * *

— Garçon, je ne trouve aucune huître dans ma soupe aux huîtres.
— Vous attendez-vous aussi à trouver des anges dans un gâteau des anges?

* * *

Un petit garçon revient de sa première journée de classe.

— Je n'y retourne pas demain, déclare-t-il.

— Et pourquoi? lui demande sa mère.

— Eh bien, je ne peux pas lire, je ne peux pas écrire et ils ne veulent pas me laisser parler non plus. Alors, à quoi ça sert?

* * *

— Éric, as-tu des trous dans tes sous-vêtements?

— Non, quelle question!

— Alors, comment as-tu fait pour les enfiler?

* * *

— Mon arrière-grand-père s'est battu avec Napoléon, mon grand-père avec les Français et mon père avec les Américains.

— Tes parents sont donc incapables de s'entendre avec quelqu'un?

* * *

— Garçon, il y a une coquerelle morte dans ma soupe.

— Oui, monsieur. Elles ne sont pas de très bonnes nageuses.

* * *

Michelle : La natation est le meilleur exercice pour garder la ligne.

Laurent : As-tu déjà vu une baleine?

* * *

Un petit garçon revient chez lui ravi.

— Je suis vraiment content que tu m'aies appelé Luc, dit-il à sa mère.

— Pourquoi, donc? lui demande sa mère.

— Parce que tous les enfants m'appellent Luc, à l'école.

* * *

Le policier en chef : Alors le voleur s'est enfui, hein? Avez-vous gardé toutes les sorties?

Le policier : Oui, nous l'avons fait. Mais il nous a déjoué. Il s'est enfui par une entrée.

* * *

Lui : Je ne peux pas te quitter.

Elle (en rougissant) : Tu m'aimes donc tellement?

Lui : Tu me marches sur le pied.

* * *

— Docteur, venez vite. Mon petit garçon a avalé ma plume.

— Je viens aussi vite que possible. Qu'allez-vous faire en attendant?

— Je vais utiliser un crayon.

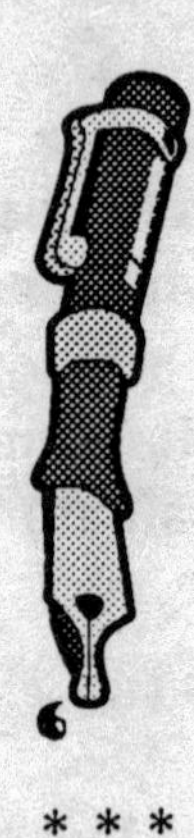

* * *

Philippe : Tu ne pourras jamais enfoncer ce clou dans le mur avec cette brosse!

Dany : Tu crois, vraiment?

Philippe : Bien sûr, sers-toi de ta tête!

* * *

— Pourquoi pleut-il papa?

— Pour faire pousser les fleurs, l'herbe, les arbres...

— Alors, pourquoi pleut-il sur le trottoir?

* * *

Pourquoi personne ne va dans la jungle entre dix-sept et dix-huit heures?

Parce que c'est l'heure à laquelle les éléphants descendent des arbres.

* * *

Pourquoi les crocodiles ont la tête plate?

Parce qu'ils se sont promenés sottement dans la jungle le soir, entre dix-sept et dix-huit heures.

* * *

— Tu t'es encore battu! Tu as perdu tes deux dents d'en avant!

— Oh non! maman. Elles sont dans ma poche.

* * *

— Est-ce que je devrais manger mon poulet frit avec mes doigts?

— Non, tu devrais manger tes doigts à part.

* * *

Michael : Ma mère a la pire mémoire qui existe.

Julien : Elle oublie tout?

Michael : Non, elle se rappelle tout!

* * *

— Suzanne, cette salade a un goût horrible. Es-tu certaine de bien l'avoir lavée?

— Oh! oui, maman, tu peux même voir un peu de savon dedans.

* * *

— Quand je me suis assis pour jouer du piano, tout le monde a éclaté de rire.

— Pourquoi?

— Il n'y avait pas de banc.

* * *

La première souris : J'ai finalement réussi à entraîner ce scientifique.

La deuxième souris : Ah oui? Comment?

La première souris : Chaque fois que je traverse le labyrinthe et que je sonne la cloche, il me donne quelque chose à manger.

* * *

Le professeur : Es-tu bon en arithmétique?

L'élève : Oui et non.

Le professeur : Qu'est-ce que ça veut dire?

L'élève : Oui, je ne suis pas bon en arithmétique.

* * *

— Un serpent vient juste de me pincer la cuisse.
— Ne sois pas ridicule; les serpents ne pincent pas.
— Celui-là l'a fait; c'était un serpent-jarretière.

* * *

Quand est-ce qu'un lapin va aussi vite qu'un train?
Quand il est dans le train.

* * *

— Pourquoi dors-tu avec une règle?
— Pour mesurer le temps que je dors.

* * *

— Mademoiselle, il y a une mouche dans ma soupe!
— Ne le dites pas si fort, tout le monde va en vouloir.

* * *

— Peux-tu écrire dans le noir, papa?
— Je crois bien que oui; que veux-tu que j'écrive?
— Ton nom sur ce bulletin.

* * *

— Papa, les gens qui demeurent juste en dessous sont-ils pauvres?

— Je ne le pense pas.

— Alors pourquoi ont-ils fait tant d'histoires quand leur bébé a avalé une pièce de un dollar?

* * *

Pourquoi les éléphants mettent-ils des raquettes dans le désert?

Pour ne pas enfoncer dans le sable.

* * *

Pourquoi les autruches se mettent-elles la tête dans le sable?

Pour voir passer les éléphants qui n'ont pas mis leurs raquettes.

* * *

— Quelle heure est-il?

— Quatorze heures.

— Oh, non! Pas encore!

— Que se passe-t-il?

— J'ai demandé l'heure à des personnes toute la journée, et personne ne m'a encore donné la même heure.

* * *

Samuel : Que fais ta mère quand elle a mal à la tête ?
Grégoire : Elle m'envoie jouer dehors.

* * *

Ils se sont bien amusés de me voir assis au piano, les deux mains derrière le dos; ils ne savaient pas que je jouais par oreille.

* * *

Le professeur : Pascal, si tu as un dollar et si tu demandes un autre dollar à ton père, combien d'argent auras-tu?
Pascal : Un dollar, monsieur.
Le professeur : Tu ne connais pas ton calcul?
Pascal : Vous ne connaissez pas mon père!

* * *

— Pourquoi badigeonnes-tu ton chèque de paye de teinture d'iode ?
— Parce que mon salaire vient d'être coupé.

* * *

— Marches-tu encore dans ton sommeil?
— Non; maintenant je prends un billet d'autobus pour m'endormir.

* * *

— Que fais-tu?
— Je m'écris une lettre.
— Que raconte-t-elle?
— Je ne sais pas; je ne la recevrai que demain.

* * *

Un plongeur sous-marin plonge et touche le fond quand il reçoit un message urgent : Remonte vite. Le bateau coule!

* * *

Le professeur : Combien fait la moitié de huit?
Lucie : De haut en bas ou en travers?
Le professeur : Pourquoi?

Lucie : De haut en bas, ça fait 3 et en travers, ça fait 0.

* * *

Le client : Qui s'occupe des noix, par ici?

Le serveur : Juste un instant, s'il vous plaît, je vais m'occuper de vous.

* * *

Sophie : J'ai beaucoup de problèmes avec l'eczéma.

Le professeur : Où en as-tu?

Sophie : Je n'en ai pas; je ne sais pas comment ça s'épelle.

* * *

Le professeur : Alain, si un et un font deux, et deux plus deux font quatre, combien feront quatre plus quatre?

Alain : Ce n'est pas juste, monsieur; vous répondez aux questions les plus faciles et vous gardez les plus difficiles pour nous.

* * *

Quand les éléphants ont-ils 16 pieds?

Quand il y en a quatre.

* * *

— Ces derniers temps, je vois des points noirs devant mes yeux.

— As-tu vu un médecin?

— Non; juste des points noirs!

* * *

Antoine : C'est curieux, non?

Renaud : Qu'est-ce qui est curieux?

Antoine : Un homme peut marcher un kilomètre sans bouger plus de deux pieds.

* * *

Le professeur : L'oxygène a été découvert en 1773.

L'élève : Ben alors, qu'est-ce que les gens respiraient avant?

* * *

Un petit garçon demande à son père :

— Qu'est-ce que l'électricité?

— Je ne sais pas, répond le père.

Quelques minutes plus tard...

— Papa, comment se forme la pluie?

— Je ne sais pas, répond le père.

Une fois de plus le garçon commence :

— Papa, qu'est-ce...

Et il s'arrête.

— Pose ta question, lui dit son père. Sinon, comment veux-tu apprendre?

* * *

Qu'est-ce qu'un Martien dit à une pompe à essence?

— Eh! Enlève ton doigt de ton oreille et écoute-moi!

* * *

Le professeur : Qu'est-ce qui nous est le plus utile, le Soleil ou la Lune?

— La Lune, répond l'élève.

— Pourquoi?

— La Lune nous donne de la lumière quand il fait noir et qu'on en a besoin; le Soleil nous éclaire seulement le jour, quand on n'en a pas besoin.

* * *

Le docteur : Vous allez vivre jusqu'à 80 ans.
Le patient : Mais j'ai 80 ans.
Le docteur : Vous voyez. Je vous l'avais bien dit!

* * *

Le professeur : Comment as-tu trouvé le questionnaire?
L'élève : Facile; c'était beaucoup plus difficile de trouver les réponses!

* * *

Quels lapins ont les plus petits pieds?
Les plus petits lapins.

* * *

Que fais-tu quand tu vois trois lapins en habit et en haut-de-forme marcher dans la rue?
Tu sais qu'il est temps d'aller voir un psychiatre.

* * *

L'homme furieux : Sais-tu qui a brisé la vitre?
Rémi : Non. Mais avez-vous vu mon ballon?

* * *

Pourquoi est-ce qu'un lanceur, au baseball, lève toujours une jambe pour lancer?

Parce que s'il levait les deux jambes, il tomberait.

* * *

Le chanteur : J'ai une voix d'oiseau.

Le professeur : Oui, et la cervelle qui va avec!

* * *

Pourquoi un éléphant est-il gros, gris et tout plissé?

Parce que s'il était petit, blanc, sans poils et lisse, il serait un cachet d'aspirine.

* * *

Bébé lapin : Maman, dis-moi d'où je viens?

Maman lapin : Je te le dirai quand tu seras plus grand.

Bébé lapin : Oh! s'il te plaît, dis-le-moi?

Maman lapin : Si tu veux vraiment le savoir... du chapeau d'un magicien.

* * *

Le chauffeur de taxi : Voudriez-vous avoir l'ogligeance de me dire si mes clignotants fonctionnent?

Le client : Oui, non, oui, non, oui, non...

* * *

— C'était très gentil de prêter tes patins neufs à ta soeur.

— Je voulais voir si la glace était assez solide!

* * *

— J'ai perdu mon chien.

— Pourquoi ne mets-tu pas une annonce dans le journal?

—Je ne vois pas ce que ça changerait. Il ne sait pas lire.

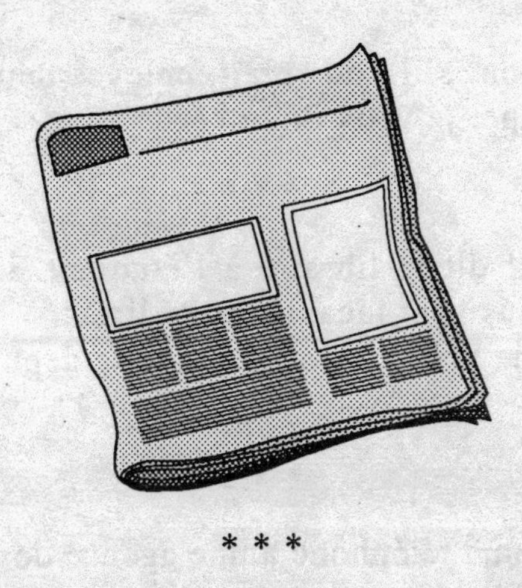

* * *

Ma cave est tellement humide que, quand j'installe une trappe à souris, j'attrape un poisson.

* * *

— Te rends-tu compte que ça prend trois moutons pour faire un chandail?
— J'ignorais qu'ils savaient tricoter!

* * *

— Est-ce que ton chien a un permis?
— Mais non, voyons! Il n'est pas assez vieux pour

conduire.

* * *

— Garçon, s'il vous plaît, enlevez cette mouche de ma soupe; je veux dîner seul.

* * *

— Chut! dit le libraire à l'étudiant. Les gens à côté de vous sont incapables de lire.

— Quelle honte! Moi, je sais lire depuis que j'ai six ans.

* * *

Une femme téléphone à une agence de voyages.

— Combien de temps faut-il pour aller à Tokyo en avion?

— Juste une minute, répond l'agent.

— Merci, dit la femme, et elle raccroche.

* * *

Damien : Je ronfle si fort que je me réveille moi-même; mais je me suis soigné tout seul.

Michel : Ah oui! Et comment?

Damien : Je dors dans la chambre d'à côté.

* * *

Pourquoi un éléphant ne peut-il pas conduire une bicyclette?

Parce qu'il n'a pas de pouce pour faire sonner la clochette.

* * *

— J'aimerais être dans tes souliers.

— Pourquoi?

— Parce que les miens ont des trous!

* * *

— As-tu entendu parler de la fille qui suivait un régime de noix de coco?

— Non. A-t-elle perdu beaucoup de poids?

— Pas du tout, mais tu devrais la voir grimper aux arbres!

* * *

Sébastien : Combien d'argent as-tu avec toi?

Frédéric : Oh, entre 48 $ et 50 $

Sébastien : Tu ne trouves pas que ça fait beaucoup?

Frédéric : Non, 2 $, ce n'est pas beaucoup!

* * *

— Excusez-moi, dit le garçon en passant devant une dame, est-ce que je vous ai marché sur le pied il y a quelques instants?

— Oui, monsieur, répond la femme.

— Alors je suis dans la bonne rangée. Merci beaucoup.

* * *

Bébé Mouffette : Puis-je avoir un ensemble de chimiste?

Maman Mouffette : Comment? Pour empester toute la maison?

* * *

Quand est-ce qu'un éléphant s'assoit sur une tomate?

Quand il veut jouer au squash.

* * *

Comment la vache a-t-elle sauté par-dessus la Lune?

Elle a suivi la voie lactée.

* * *

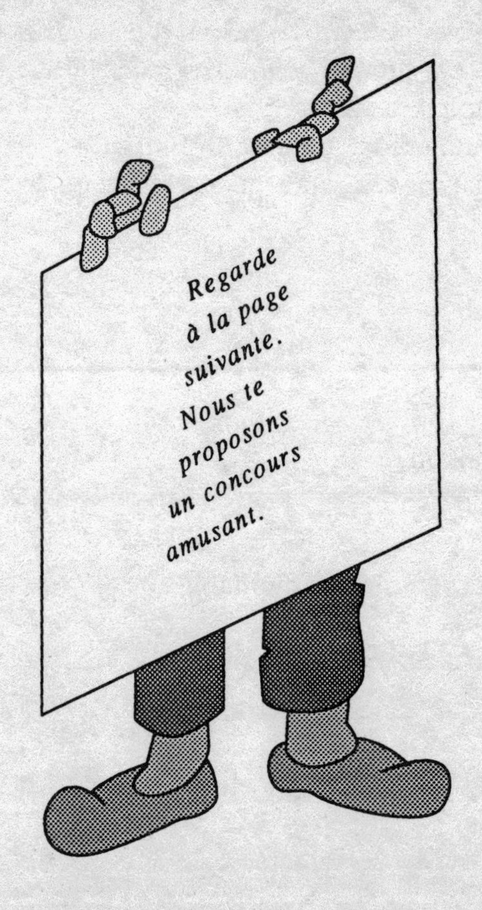
Regarde
à la page
suivante.
Nous te
proposons
un concours
amusant.

CONCOURS

Tu dois connaître, toi aussi, de courtes histoires drôles. Alors, pourquoi ne pas nous en faire parvenir quelques-unes.

Parmi celles reçues, certaines seront retenues pour publication et l'auteur(e) recevra une ou plusieurs surprises selon le nombre d'histoires sélectionnées.

Participe le plus vite possible et envoie tes histoires drôles à :

CONCOURS HISTOIRES DRÔLES
Les Éditions Héritage inc.
300, avenue Arran
Saint-Lambert (Québec)
J4R 1K5

Nous avons hâte de te lire!

À très bientôt donc!

Voilà c'est tout! Mais tu trouveras d'autres histoires drôles dans la même collection en vente prochainement.

ACHEVÉ D'IMPRIMER
EN OCTOBRE 1991
SUR LES PRESSES DE
PAYETTE & SIMMS INC.
À SAINT-LAMBERT, P.Q.